S0-ADB-534

Les MÉCHANTS

ÉPISODE

8

SUPER MÉCHANT

« J'aurais adoré lire ces livres
quand j'étais jeune. Ils sont tordants! »

— Dav Pilkey, créateur de *Capitaine Bobette* et de *Super Chien*

Catalogage avant publication de Bibliothèque et Archives Canada

Blabey, Aaron
[Bad Guys in Superbad. Français]
Super méchant / Aaron Blabey ; texte français d'Isabelle Allard.

(Les méchants ; 8)
Traduction de: The Bad Guys in Superbad.
ISBN 978-1-4431-7392-6 (couverture souple)
I. Titre. II. Titre: Bad Guys in Superbad. Français

PZ26.3.B524Sup 2019   j823'.92   C2018-904521-3

Version anglaise publiée initialement en Australie en 2018,
par Scholastic Australia.

Copyright © Aaron Blabey, 2018, pour le texte et les illustrations.
Copyright © Éditions Scholastic, 2019, pour le texte français.
Tous droits réservés.

L'éditeur n'exerce aucun contrôle sur les sites Web de tiers et de l'auteur, et ne saurait
être tenu responsable de leur contenu.

Ce livre est une œuvre de fiction. Les noms, personnages, lieux et incidents mentionnés
sont le fruit de l'imagination de l'auteur ou utilisés à titre fictif. Toute ressemblance
avec des personnes, vivantes ou non, ou avec des entreprises, des événements ou des
lieux réels est purement fortuite.

Il est interdit de reproduire, d'enregistrer ou de diffuser, en tout ou en partie,
le présent ouvrage par quelque procédé que ce soit, électronique, mécanique,
photographique, sonore, magnétique ou autre, sans avoir obtenu au préalable
l'autorisation écrite de l'éditeur. Pour toute information concernant les droits,
s'adresser à Scholastic Press, une marque de Scholastic Australia Pty Limited,
345 Pacific Highway, Lindfield, NSW 2070, Australie.

Édition publiée par les Éditions Scholastic, 604, rue King Ouest, Toronto (Ontario)
M5V 1E1 CANADA avec la permission de Scholastic Australia Pty Limited.

5 4 3 2 1   Imprimé au Canada 139   19 20 21 22 23

Le texte a été composé avec les polices de caractères
Janson Text Lt Std, Goshen, Shlop, Housepaint, Providence Sans OT
et ITC American Typewriter Std.

RECYCLÉ
Papier fait à partir
de matériaux recyclés
FSC® C103567
FSC
www.fsc.org

· AARON BLABEY ·

TEXTE FRANÇAIS D'ISABELLE ALLARD

Les MÉCHANTS

ÉPISODE 8 SUPER MÉCHANT

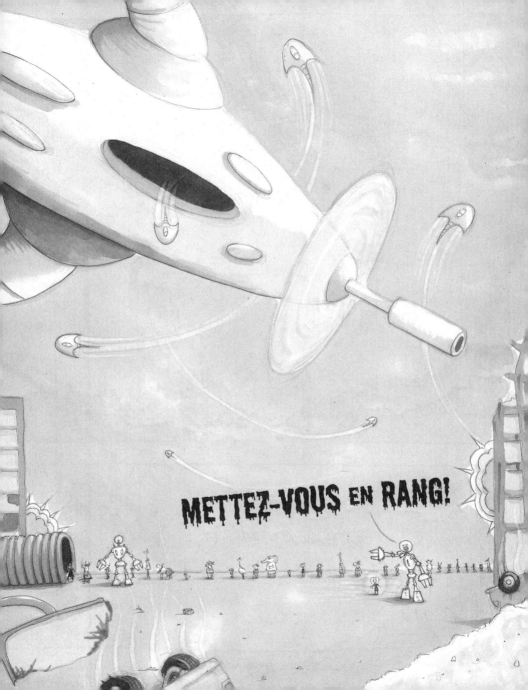

Qu'as-tu dit?

Mettez-vous en rang?

• Chapitre 1 •
LES SOTS S'UNISSENT

C'est le
CLUB DES GENTILS!

Oui!
Mais on va trouver
un nom qui sonne beaucoup
mieux, *señorita*…

Continue donc, mon ami…

Oui, bien sûr!
Vous vous êtes attaqués
à la mauvaise planète, *hermanos*.

SUPER VITESSE…

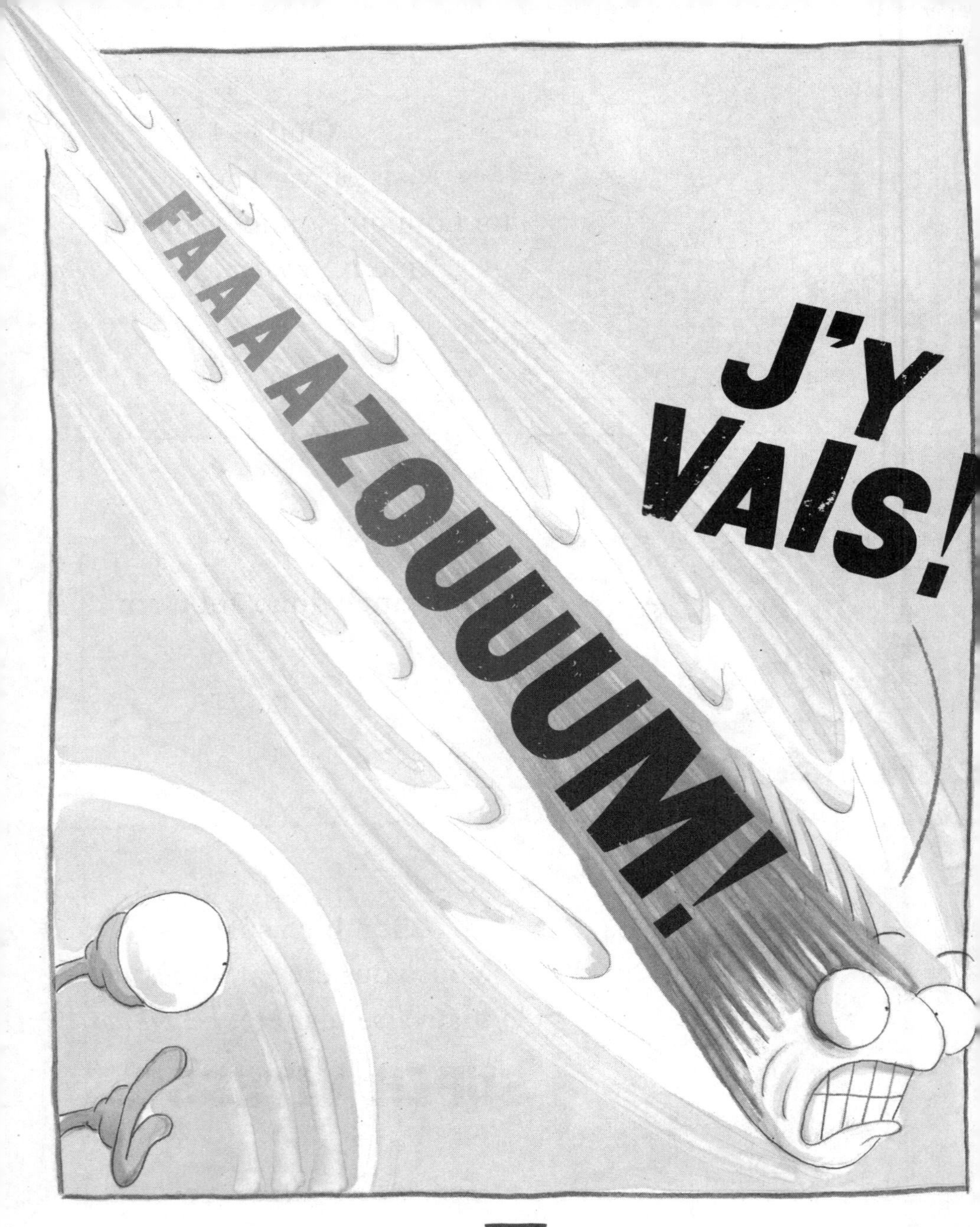
FAAAAZOUUM!
J'Y VAIS!

PLOP!

 Oh non.
Ça recommence.
Il a foncé directement
sur ce truc…

KER—CHINK!

Oh non!
Une minute...
Ne bougez pas...

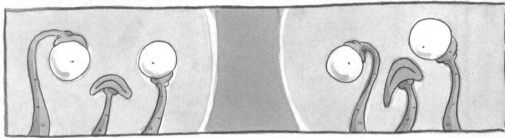

Ah, c'est tellement embarrassant...

NON!
Ces clowneries
n'étaient qu'une
ruse pour vous
distraire de
CECI!

FoUuuUF!

Oooooh.
Désolé.
Pardon, l'ami.

Tout… va… bien.

Ça SUFFIT!
Arrêtons ces pitreries!

Laissez-moi
vous montrer
**DE QUOI
ON EST
CAPABLES!**

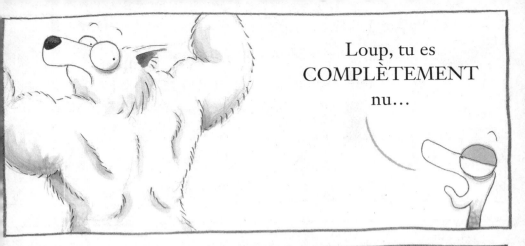

Loup, tu es COMPLÈTEMENT nu...

Montez à bord,
VOUS TOUS!
TOUT DE SUITE!

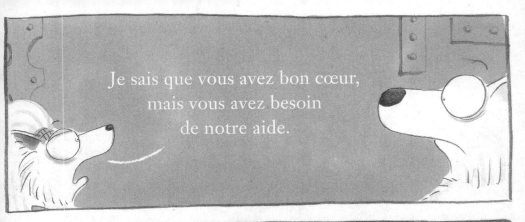

Je sais que vous avez bon cœur, mais vous avez besoin de notre aide.

Quand on en aura terminé avec vous, vous serez prêts à faire **N'IMPORTE QUOI.**

Le Club des Gentils, je vous présente…

• Chapitre 2 •
LA LIGUE

AGENTE RENARDE

NOM : CLASSÉ SECRET

ANTÉCÉDENTS : CLASSÉS SECRETS

MAÎTRISE EN ESPIONNAGE

MAÎTRISE EN ARTS MARTIAUX

PARLE 14 LANGUES

VÉHICULE PRÉFÉRÉ : TOUS

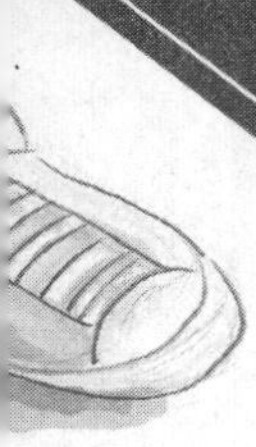

AGENTE FÉLINE

NOM : CLASSÉ SECRET

ANTÉCÉDENTS : CLASSÉS SECRETS

MAÎTRISE EN ARTS MARTIAUX

DOCTORAT EN MÉDECINE

PILOTE DE 1ʳᵉ CLASSE

VÉHICULE PRÉFÉRÉ : AVION

AGENTE FONCEUSE

NOM : CLASSÉ SECRET

ANTÉCÉDENTS : CLASSÉS SECRETS

EXPERTE EN DÉMOLITION

SPÉCIALISTE EN COMBATS

VÉHICULE PRÉFÉRÉ : MOTOCYCLETTE

AGENTE
FUNESTE

NOM : CLASSÉ SECRET

ANTÉCÉDENTS : CLASSÉS SECRETS

GÉNIE EN PIRATAGE INFORMATIQUE

DOCTORATS EN BIOLOGIE, CHIMIE, PHYSIQUE, BIO-INGÉNIERIE ET PHILOSOPHIE

Peuh.

AGENTE FURAX

NOM : CLASSÉ SECRET

ANTÉCÉDENTS : CLASSÉS SECRETS

TALENTS SPÉCIAUX : CLASSÉS SECRETS

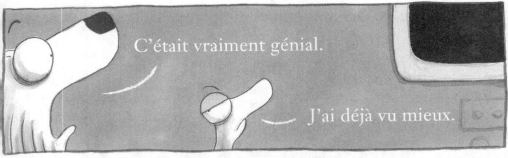

C'était vraiment génial.

J'ai déjà vu mieux.

Cette vidéo était très professionnelle.

Pourquoi est-on ici?

Parce que Renarde a la conviction ridicule que vous avez du potentiel. Mais personnellement...

je n'ai pas grand espoir.

• Chapitre 3 •

QUE SE PASSE-T-IL?

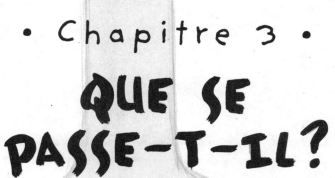

Bienvenue dans notre
QUARTIER GÉNÉRAL SECRET.
Maintenant que vous en savez plus sur nous,
parlons de **VOUS.**

M. Loup, M. Serpent, M. Requin et M. Piranha,
la Ligue internationale des héros
connaît vos activités récentes et
a été informée de vos…
NOUVEAUX TALENTS.

On est des **SUPERHÉROS**!

Hum, hum.

Tu n'as pas l'air convaincue.

Tu trouves?

J'aimerais aussi présenter à mon équipe un autre membre très spécial du Club des Gentils :

PATTES!

Pattes?
Ça va?
Tu n'as pas l'air de bonne humeur.

Hein?
Oui.
Je vais bien.
Très BIEN.

Il aime se faire appeler M. Tarentule!

Ah! Désolée, M. Tarentule…

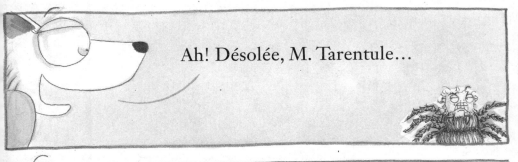

Ouais, ouais,

PEU IMPORTE!

Bon…

C'est bizarre…
Je suis allé te chercher
un muffin.

Ah, merci!

Et enfin, le… plus récent membre
du Club des Gentils :

MAXENCE.

Au cas où vous vous poseriez la question, il
semblerait que Maxence soit un **DINOSAURE**
de la période du Crétacé.

Eh oui!
C'est ce que je disais.

Sérieusement, je suis la seule
à trouver ça bizarre?

Bon, de toute évidence,
quelque chose d'inhabituel vous est arrivé
quand vous avez traversé le **VORTEX.**

Maxence est devenu **HYPER
INTELLIGENT...**

Je l'aime bien, cette renarde. Elle est *merveilleuse*, n'est-ce pas?

Et hyper *charmant*, en plus...

M. Piranha a acquis une **SUPER VITESSE,** M. Requin, une **CAPACITÉ MÉTAMORPHIQUE** et M. Serpent, de remarquables **POUVOIRS MENTAUX...**

Ils ne sont pas SI remarquables que ça...

Va me chercher *UNE TROMPETTE.*

Je vais aller te chercher UNE TROMPETTE...

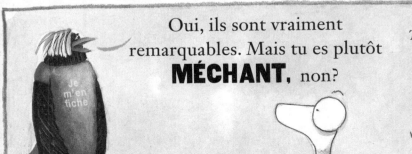

Oui, ils sont vraiment remarquables. Mais tu es plutôt **MÉCHANT,** non?

Trompette...

Voyons donc.

Désolée! J'ai touché un POINT SENSIBLE?

Je ne sais pas de quoi tu parles.

Tiens, en voilà un autre…

POC!

Dis donc!
Tellement de points
sensibles...

POC!
POC!
POC!

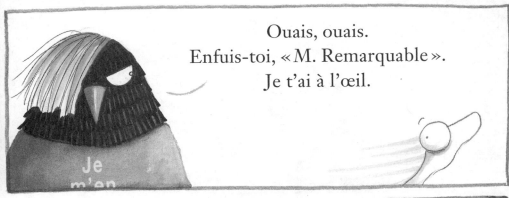

Ouais, ouais.
Enfuis-toi, «M. Remarquable».
Je t'ai à l'œil.

Je
m'en

Quant à
M. LOUP...

Ah, c'est juste un bon vieux **NUDISTE**!
Tu avais FIÈRE ALLURE aujourd'hui,
mon beau...

Sois gentille, agente Fonceuse.

Comme vous le savez,
M. Loup est doté d'une
SUPER FORCE.

Hé! Pourquoi tiens-tu
une trompette, *chico?*

Oh, comme tu es mignon…

Gloup!

Malheureusement, il y a un **PROBLÈME.** À part Maxence, aucun de vous ne peut vraiment **CONTRÔLER** son pouvoir…

J'AI DES POUVOIRS! OUI, OUI! ET JE *PEUX LES CONTRÔLER!* REGARDEZ! J'AI DES **POUVOIRS ARACHNÉENS INCROYABLES…**

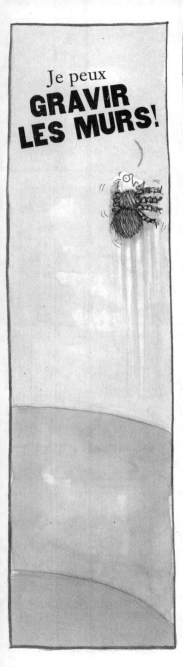

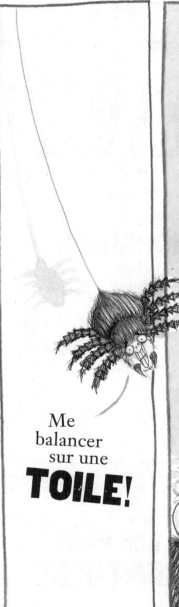

Euh… Je crois que
ce sont juste des
**TRUCS NORMAUX
D'ARAIGNÉE,** non?

Oui, l'ami.
En plein ça.

Voilà pourquoi ON T'AIME, *chico!*
Tu es notre **BON VIEUX
M. TARENTULE!**

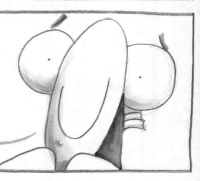

POURQUOI N'AI-JE PAS EU DE SUPER POUVOIRS?

Ooooh, c'est pour ÇA que tu es bougon…

JE NE SUIS PAS BOUGON!

Cher garçon, ça me désole de te voir comme ça. Si je *devais* deviner la raison de ton absence de transformation, je *dirais* que c'est parce que tu as traversé le vortex **AVANT** que ton ami bolivien active la **COMMANDE DE REHAUSSEMENT...**

COMMENT *OSES-TU?*
Je n'ai RIEN activé!

En es-tu certain?
Il y avait peut-être une mention
« NE PAS APPUYER »
ou quelque chose
du genre…

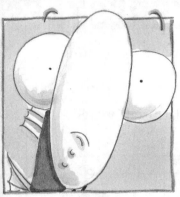

Regardez!
Un nuage en forme
d'arachide…

Tu aimes les arachides?
On pourrait sortir ce soir et
acheter une caisse d'arachides.
Ce serait

AMUSANT.

Je parie que tu es un
bon danseur, en plus.
Veux-tu aller danser?

Peu importe **COMMENT** vous avez été transformés.

Ce qui compte, c'est que vous avez

des pouvoirs. S'ils sont **BIEN MAÎTRISÉS**,

ils pourraient nous aider à vaincre les terribles

FORCES
EXTRATERRESTRES

qui ont envahi la planète.

Je ne vous mentirai pas, la

situation est grave...

Leurs **VAISSEAUX-MÈRES**

sont installés au-dessus

de chaque grande ville...

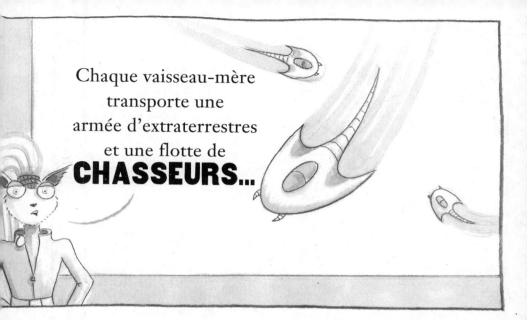

Chaque vaisseau-mère transporte une armée d'extraterrestres et une flotte de **CHASSEURS...**

ainsi qu'une légion de **ROBOTS GUERRIERS** utilisés par les extraterrestres sur le terrain.

Ces extraterrestres peuvent

CHANGER DE TAILLE À VOLONTÉ.

Ils peuvent être gigantesques un moment, puis rapetisser

jusqu'à pouvoir entrer dans le casque d'un

ROBOT GUERRIER. Voilà comment

MARMELADE a pu se déguiser

en cochon d'Inde.

Ils sont TRÈS AVANCÉS.

Ils sont HOSTILES.

Et ils sont

PARTOUT.

Dans ce cas, je devrais mettre mon
ÉNORME CERVEAU
à contribution et élaborer un
PLAN.

MAIS, il va me falloir un assistant! Il n'y a qu'un nom en haut de ma liste : **M. TARENTULE,** *j'ai besoin de toi!* Je soupçonne que tu es plus important pour notre survie que tu ne le crois…

Ouais, d'accord, si tu le dis…

Ma parole! Je viens de remarquer que tu ne portes pas de pantalons!

Ouais, reviens-en!

Pour le reste d'entre vous…

ce sera une
JOURNÉE DE FORMATION.

Chapitre 4

DEVIENS UNE TASSE DE THÉ

Première leçon :
NE M'ÉNERVEZ PAS.

Deuxième leçon?

Deviens une
tasse de thé.

Gloup!

FOUUUUF!

Je vais faire semblant
de ne pas avoir vu ça.

Deviens…
une tasse de thé.

FOUUuUF!

Bon. Écoute, Tic-Tac.

C'est ta *DERNIÈRE CHANCE.*
Compris?

DEVIENS...
UNE...
**TASSE
DE THÉ.**

FOUUUUF!

J'AI RÉUSSI!

Oui, oui…

Mais peux-tu être
une tasse de thé…

quand il le faut?

SSSSSSSSSSS!

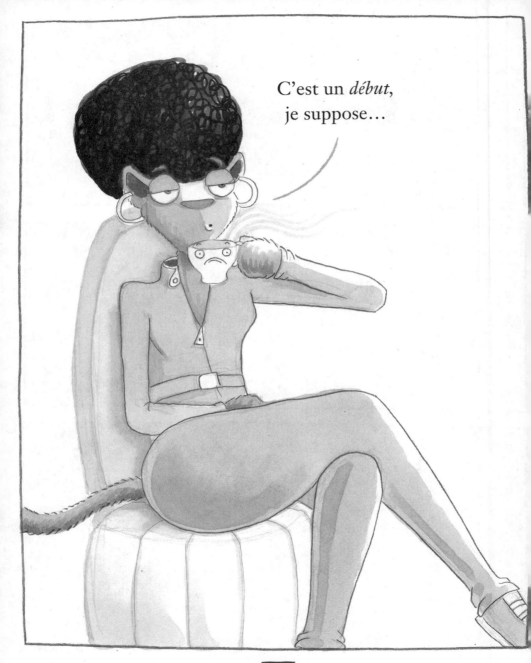

C'est un *début*,
je suppose…

Chapitre 5

TOURNE! TOURNE! TOURNE!

Qu'est-ce qui se passe ici?
Pourquoi est-on dans cette
**PETITE PIÈCE AUX MURS
EN MÉTAL?**

Eh bien…
c'est pour un **JEU.**

Oh. D'accord. J'aime les jeux.
Quelle sorte de jeu?

C'est mon jeu préféré.

Vraiment? Comment ça s'appelle?

LA CHASSE AUX BISOUS

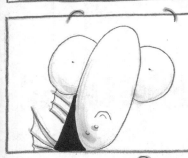

Pardon, j'ai cru
t'entendre dire…

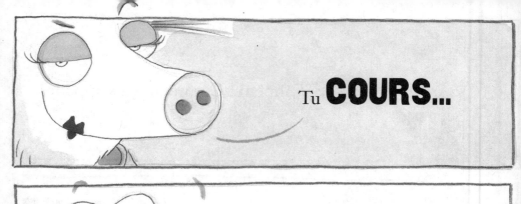

VAS-Y!

ATTENDS! JE NE SUIS PAS PRÊT!

FAAAAZOUUUM!

AAAAÏÏÏÏEEEEE!

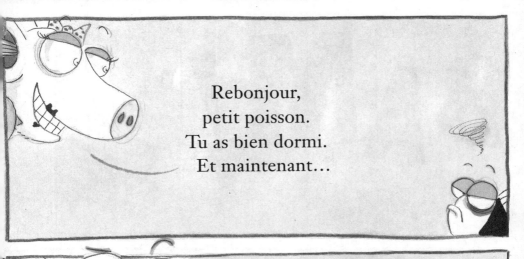

Rebonjour,
petit poisson.
Tu as bien dormi.
Et maintenant…

ON RECOMMENCE!

FAAAAZOUUUM!

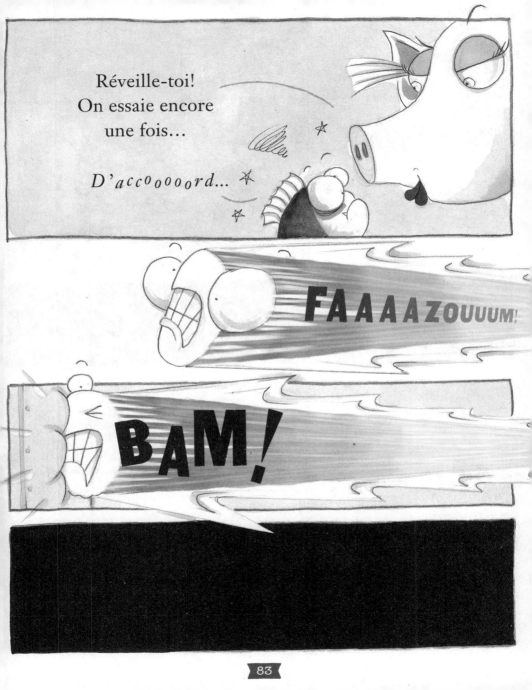

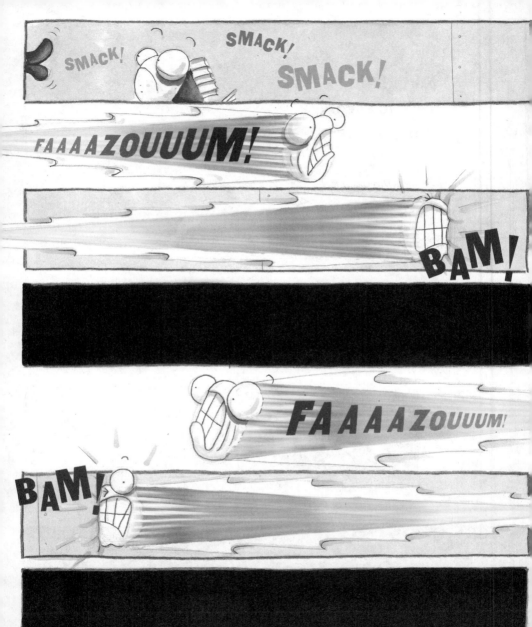

Écoute, petit, je pourrais faire ça TOUTE la journée.

Mais comme on est un peu pressés et que tu dois cesser de foncer dans les murs, on va passer au **PROCHAIN NIVEAU...**

Prêt?

Mais je vais me transformer en brochette de poisson!

Tu crois que je vais permettre ça? Je *crois en toi*, le joufflu. Tout ce que tu dois faire, c'est **TOURNER.** Je SAIS que tu peux y arriver. Mais juste au cas...

fais-moi un gros **BISOU D'ADIEU.**

Tu as réussi, petit!

• Chapitre 6 •
LES MÉCHANTES

Ouais.
J'ai déjà vu mieux.

Non.

Bien sûr. *N'importe qui* peut soulever un **FRIGO,** une **TRONÇONNEUSE** et une **AGENTE SECRÈTE** uniquement avec son ESPRIT...

Bon… alors faisons chanter un petit air d'opéra à l'agente Renarde…

et démarrons cette tronçonneuse…

GRRRRRING!
GRRRRRRING!

OUAAAH...

Oh, allez! Avoue que c'est *incroyable!*

Hé, Renarde? Peux-tu me remplacer? Les tours minables de M. Remarquable me dépriment.

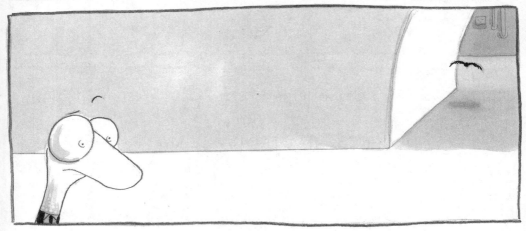

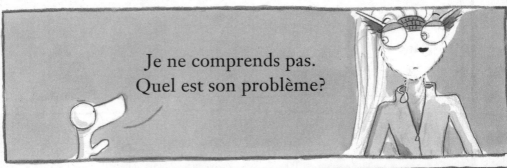

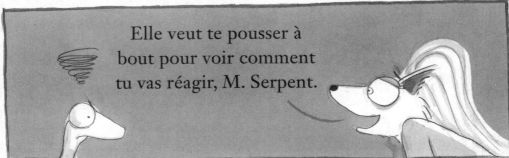

Oh, je comprends.

VOUS AUTRES, LES HÉROÏNES-PLUS-QUE-PARFAITES,

vous pensez qu'on ne vaut RIEN, c'est ça?

Qu'on est juste un groupe de fichus filous, hein?

Vous ne pensez pas qu'on a ce qu'il faut.

Aucune de vous ne le croit.

Mais laisse-moi te dire un truc :

vous ne me connaissez PAS DU TOUT.

VOUS NE SAVEZ

RIEN

DE MOI.

Pfff.

Quoi?

Tu ne comprends
TOUJOURS pas, hein?

Comprendre
QUOI?!

Là d'où je viens, on **CHASSE** les renards, M. Serpent. Pour le plaisir. On croit que les renards ne valent rien et ne sont que de vils voleurs qui ne méritent pas de vivre.

Quand j'étais jeune…

j'ai tout perdu.

On lui a dit très tôt qu'elle ne pouvait pas jouer au terrain de jeu avec les autres enfants, car elle était **« UN ANIMAL DANGEREUX ».**

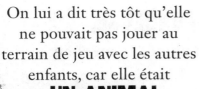

Plus tard, elle est devenue furieuse, elle aussi.

Quant à **L'AGENTE FONCEUSE**,
on lui a *répété* toute sa vie qu'elle était méchante.
Alors, devine ce qui est arrivé? Elle s'est mise à *agir*
comme si elle l'était.

L'AGENTE FUNESTE

a été intimidée chaque jour
parce que les autres enfants la trouvaient
« sinistre et bizarre »…

Et personne ne voulait
s'approcher de
L'AGENTE FURAX.

À aucun prix.

Puis un jour, nos chemins se sont croisés.

Et on a fait un pacte.

On a décidé de prendre notre douleur,
notre colère et notre peur,
et de les transformer en quelque chose
de **BON.**

Au lieu de vouloir blesser ceux qui nous
avaient fait du mal, on s'est promis de
**PROTÉGER CEUX QUI SONT
SANS DÉFENSE.**

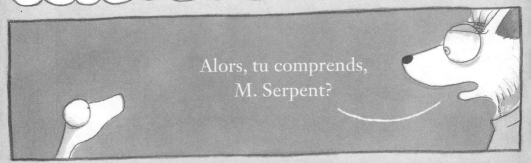

Alors, tu comprends,
M. Serpent?

On est *comme* vous.

• Chapitre 7 •
L'EXAMEN FINAL

Il va s'étirer autant qu'il le faudra,
M. Gros Derrière.

Range-le pour le moment,
M. Loup. Tes amis et toi devez
faire autre chose d'abord…

UN MOMENT PLUS TARD...

AAAAAAAH!

Hein?

Voici votre
DERNIER EXERCICE.
C'est simple : *mettez l'agente Furax dans la boîte.* Bonne chance, messieurs.

Ouf! J'ai eu peur. Bon, agente Furax, on peut utiliser la

MANIÈRE DOUCE

ou...

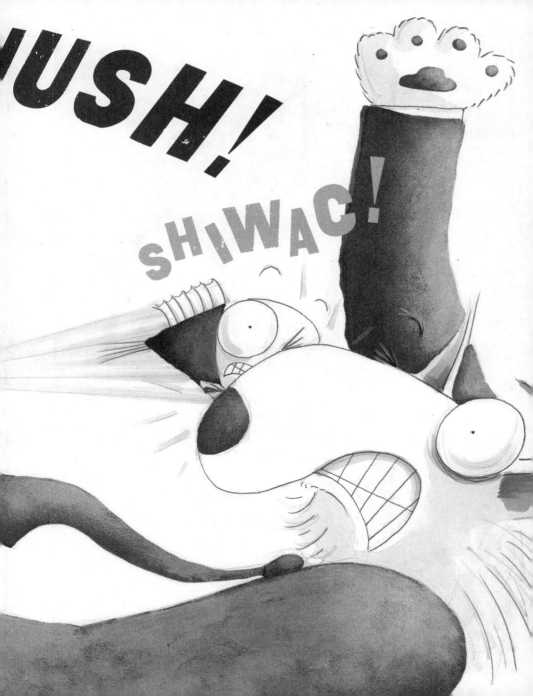

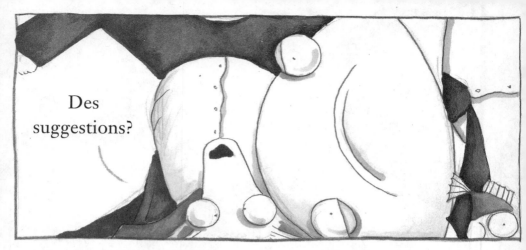

Des suggestions?

J'essaie de la **RETENIR AVEC MON ESPRIT,** mais elle m'attaque avant que je puisse me concentrer.

Elle est trop rapide et trop forte. Aucun de nous ne peut la dominer **TOUT SEUL.**

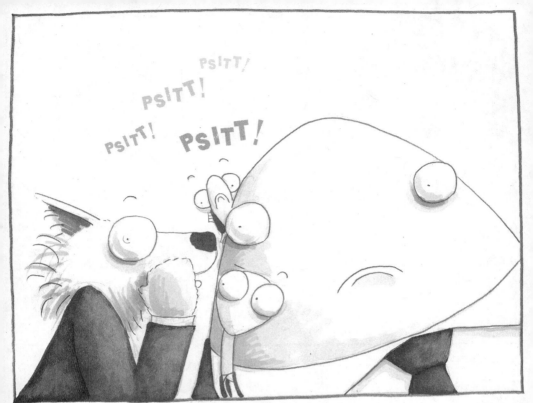

Tiens, Furax!
Tu ne pourras pas
m'attraper!

Pendant
qu'il la
distrait…

Je l'ai... mais ouuuuuf...
pas pour longtemps...

Le meilleur moyen de la
surprendre est par...

EN HAUT!

Messieurs,
VOUS ÊTES PRÊTS.

• Chapitre 8 •

UN PLAN ÉPATANT

OPÉRATION TARENTULE

Mesdames et messieurs, j'ai élaboré un **PLAN** qui nous donnera l'avantage dans notre lutte contre les forces extraterrestres. Je l'ai appelé : *Opération Tarentule!*

Sans vouloir te vexer,
tu lui as donné le nom du seul gars
dépourvu de super pouvoirs?

Vraiment?

NOUS, on n'a pas
de super pouvoirs!
Ça te pose un problème?

C'est élémentaire!
M. Tarentule est le
SEUL individu
dans cette pièce
capable de piloter
**UN VAISSEAU
EXTRATERRESTRE,**
n'est-ce pas?

Ce n'est pas vrai.
Je pourrais le faire.

Et **OPÉRATION
FUNESTE** sonnerait
beaucoup mieux.

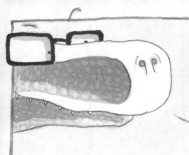

Hum... Mais es-tu assez petite pour te faufiler dans la cabine de pilotage d'un vaisseau-mère **SANS TE FAIRE REMARQUER?**

NON!

La **SEULE** façon d'arrêter cette invasion est de nous emparer d'un vaisseau-mère et de l'utiliser contre eux.

Voilà pourquoi la mission est

D'INTRODUIRE M. TARENTULE À BORD, par tous les moyens possibles.

Mais il y aura des extraterrestres **DANS LE VAISSEAU!**

Qui protégera Pattes? Il ne peut pas y aller seul...

Oh non, cher garçon. Il ne sera pas seul...

N'est-ce pas, agente Furax?

Ouais…
ça pourrait
marcher.

Ça me paraît possible.

MON ÉQUIPE

s'occupera des extraterrestres *sur le terrain* pour les distraire le plus longtemps possible.

M. Loup, *ton* équipe
devra faire entrer
L'AGENTE FURAX et
M. TARENTULE dans le
VAISSEAU-MÈRE.

· Chapitre 9 ·

GROS PROBLÈME

SCOUIIIIIIIIII!

C'est le moment,
M. Loup.

Ça va?

Je...
je me sens un peu...

Tu seras *parfait*.

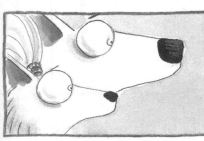

Peuh. Vous êtes de drôles de numéros, tous les deux!

Mais vous savez quoi?

On ne pourrait pas se passer de vous plus de cinq minutes.